Auteur : Dominique de Saint Mars

Après des études de sociologie,
elle a été journaliste à *Astrapi*.
Elle écrit des histoires
qui donnent la parole aux enfants
et traduisent leurs émotions.
Elle dit en souriant qu'elle a interviewé
au moins 100 000 enfants...
Ses deux fils, Arthur et Henri,
ont été ses premiers inspirateurs !
Prix de la Fondation pour l'Enfance.
Auteur de *On va avoir un bébé*,
Je grandis, *Les Filles et les Garçons*,
Passeport pour l'école
et *Léon a deux maisons*.

Illustrateur : Serge Bloch

Cet observateur plein d'humour
et de tendresse est aussi un maître
de la mise en scène.
Tout en distillant son humour généreux
à longueur de cases, il aime faire sentir
la profondeur des sentiments.

Max part en classe verte

Collection dirigée par Dominique de Saint Mars

Imprimé en CEE
ISBN : 2-88445-148-X

Ainsi va la vie

Max part en classe verte

Dominique de Saint Mars

Serge Bloch

Ah ! c'est épuisant, ces départs. Tu as ton maillot de bain, ton coupe-vent, ton jogging, tes bottes, ton papier à lettres... Tu n'oublieras pas d'écrire à mamie !

Tu crois qu'on va se moquer de moi si j'emporte mon ours ?
Tu le sortiras si tu en as envie.
Au lit ! On se lève tôt demain et tu dois être crevé après tout ce que tu as fait !

Et si mes copains sont pas sympas, si on me force à manger, et si je n'arrive pas à m'endormir... et si je fais pipi au lit... et si je suis malade... qui va s'occuper de moi ? Je serai seul, tout seul !
Ne t'en fais pas. Si ça ne va pas, tu le diras. Et si tu es malade, on appellera un médecin.

Tu n'oublieras pas de te couvrir s'il fait froid.
Et tu ne feras pas le difficile.
Et tu seras gentil avec les moniteurs.
Ne vous inquiétez pas. Ça se passera bien.

Ciao maman!
Ciao papa!
Ah, ces gosses! Même pas un bisou!
T'as une petite larme! Mais il est grand, notre fils!
Quand il est là, il m'énerve, mais quand il part, je suis triste, bizarre...

Toi, tu es là, à côté de Nicolas.
Non, je voulais être à côté de Tom.

Et Bruno va avec vous !
Ah non ! pas lui !
Ben, t'es pas sympa, toi. Comment tu t'appelles ?
Ma-ax !
Viens Bruno, on va au bout... On va bien se marrer !

PLUS TARD...
Ah! si maman était là, elle me ferait un câlin.
Je ne peux quand même pas sortir mon ours...

Ça alors, Tom sort son lapin...
Y a pas de raison de s'en priver!

Où as-tu été élevé, toi? On n'est pas dans une porcherie, ici!

Mais j'en mange pas à la maison!

Ici, tu fais comme tout le monde!

Je fais l'inspection des chambres dans dix minutes!
Bravo, Tom! Ton lit est impec! Et ce capharnaüm? C'est encore toi, Max! Décidément, tu te fais remarquer!
C'est pas ma faute! C'est toujours maman qui me fait mon lit!

ET À L'HEURE DU COURRIER...
Ici, tout le monde me déteste. Je suis en danger. Venez vite me chercher. J'ai envie de vous voir et je vous aime beaucoup et même plus, plus, plus...
Votre petit Max.

Tous en bas pour la promenade!
Maman a oublié mes chaussettes!
T'avais qu'à faire ton sac tout seul!

1 kilomètre à pied, ça use... ça use...

Je suis fatigué...
Maman aurait pitié de moi, elle me porterait mon sac...
J'ai mal aux pieds... C'est encore loin?

Regardez, sur votre droite, cette très vieille demeure, tout en pierre, comme elle est belle…

Ah! je suis crevé.
Mes orteils, mes mollets!
Mon lit!

QUELQUES INSTANTS PLUS TARD, LE CALME RÈGNE DANS LES CHAMBRES...
Attention, voilà le mono! Éteins la lumière!

Ah! les petits monstres dorment... moi qui voulais leur raconter une histoire...

Oui, une histoire!
Une histoire!
Une histoire!
BIEN PLUS TARD...
Encore une histoire.
La dernière... mais vous dormez après, pour être en forme pour le poney.
Oui, encore une!

MAIS, AVANT DE MONTER SUR LES PONEYS, IL Y AVAIT CLASSE DE PONEY...
La couleur des poils, c'est la robe !

Vous regardez bien, ce sera votre tour après.
Max, on voit qu'il en a déjà fait !
GRRR...
Je vais claquer la barrière, on va voir du rodéo !

CLANG
HOO!
AU SECOURS!
Descendez vite!

Aidez-moi!
Vous inquiétez pas! On y va! Allez Donald! Keck-keck!

Bruno, n'aie pas peur. Parle-lui doucement. Serre les genoux. Fais-lui comprendre que c'est toi le maître.

Bravo Max !
Super !
Hourra !
C'est pas malin d'avoir ouvert la barrière ! Ça aurait pu être dangereux.
Je ne le ferai plus.

Salut Donald! On a fait une bonne équipe. Je ne t'oublierai jamais.
Dis donc, Max, j'ai appris que tu ne faisais pas que des bêtises!

Merci pour le poney. T'as été sympa.
Tu ne m'en veux pas pour le dortoir? Je voulais aussi être à côté de Karim...
Non, on est copains, maintenant!
Oui, viens, on va voir les filles pour préparer la boum.

ET C'EST DÉJÀ LE DERNIER SOIR...
Marie, t'as déjà dansé le slow?
Moi, je danse avec les bras tendus.
C'est bien le slow, hein!
Oui, mais pas si près!

Vos valises sont prêtes?
Vous n'oubliez rien?

À L'ARRIVÉE, MAX ÉTAIT ATTENDU...
Alors, Max, ce n'était pas trop dur? J'étais si inquiète après ta lettre! Mon tout petit Max, mon poussin, mon loulou...
M'appelle pas comme ça! En plus, c'était super!

Et c'est moi qui faisais tout ! J'ai sauvé un poney... j'ai fait trois kilomètres à pied... j'ai appris à danser le rapp... à faire mon lit... à débarrasser les tables...
T'as appris la modestie, mon vieux Max !

Génial ! Tu vas pouvoir nous aider à la maison ! Tu vas nous montrer ça !
Oui... enfin... euh... mais on va commencer par le rapp !

Et toi...

Est-ce qu'il t'est arrivé la même histoire qu'à Max ?

As-tu pu mieux connaître tes copains
et en découvrir d'autres ?

Etais-tu fier de te débrouiller seul ?
Tes parents ne te manquaient-ils pas trop ?

As-tu appris des nouvelles choses ?
As-tu eu des aventures ?

As-tu trouvé que la maîtresse
était très différente en dehors de l'école ?

As-tu facilement accepté l'obéissance,
l'ordre, la nourriture différente ?

T'es-tu bien entendu avec les moniteurs ?

As-tu été triste d'être séparé de ta famille ?

T'es-tu disputé avec tes copains ou tes copines ?

As-tu mal supporté
la discipline obligatoire de la vie en groupe ?

N'es-tu pas habitué
à t'occuper de tes affaires tout seul ?

As-tu eu un problème avec un moniteur
ou la maîtresse ? Y avait-il des chouchous ?

As-tu quand même des bons souvenirs
et penses-tu que la prochaine fois ce sera mieux ?

**Après avoir réfléchi
à ces questions
sur la classe verte
tu peux en parler
avec tes parents ou tes amis.**